KB084237

우울은 나의 원동력

: 밤

김인현 시집

6 PM

나 의미 탓하다 곤란한 질문
빈 방 필요 놓치다 한계 말
어쩌다보니

8 PM

별 같은 말 불일치 소외
허비하다 인상 냉장고
오래전 일 빈자리 관심 말없이
비 오는 날 울컥 간절함 달
돌아서다 첫 줄

10 ^{PM}

유리 조각 잠깐 거짓말
슬픔 조심 점점 잔인함 멀어지다
남은 시간 조급함 자랑
남아 있는 것 변화 별 헤는 밤

자정

진공 도서관 동문서답 영원
눈물 꿈

새벽

새벽까지 끌림 낡은 흩어지다
우울 구석 하지 못한 말

나

괜찮다고 타일러보려 하니
전혀 괜찮지 않아 더 실망스럽고

힘내라고 떠밀어보려 하니
한 발자국도 못 내밀고 털썩 주저앉아

웃어 보이면 더 일그러지고
한숨 푹 쉬면 더 암울해지고
솔직하자니 그렇게 실수투성이일 수가 없다

왜 완벽하지 못할까
고작 힘들 뿐인데

의미

의미 없는 인생은 없어.
네가 네 인생을 의미 없이 보내는 거겠지.

탓하다

누군가의 꿈을 표절해 인생을 살아보고
남의 꿈을 베껴 원하는 것 하는 삶이라 자랑해보려니
닥치면 긴장되고 불안한 마음에 포기하고 싶을 뿐
그때가 되면 남을 탓하지 말 것

꿈 없고 바램 없는 시시한 내 탓이려니

곤란한 질문

우리가 살아가는 지금의 이 시대엔
평화주의자는 살아갈 수 없다고 합니다.
그럼 우리라 칭하는 그들에게는
무엇이 필요한 겁니까?

빈방

빈방이 있었으면 좋겠다.
들어가서 문 잠그고 마음껏 무너질 수 있게.

필요

도와주세요.
뭘 달라고 하는 게 아니에요.

그저 이만치 해 온 저를
다음으로 넘어갈 수 있게
인정만 해주세요.

그게 많이 어렵거나
도저히 할 수 없다면,
얼른 말해주세요.
넌 안된다고.

포기할 명분이 필요해요.

놓치다

내가 널 놓아준 거라고 생각했다
생각해보니 네가 날 놓친 거였다

한계

　한 길로 계속 가는 날 보고 밉다고 했다.

　그 사람이 뭘 알고 내가 그 사람에 대해 뭘 안다고 하겠냐마는, "그럼 저만 그나마 정상적인 편이네요."라는 말이 그렇게 싫더라며. 포기하지 않고 전공을 버리지 않은 채 일하는 내 모습이 질투 났다며 내가 싫다고 했다. 그 말은 정말 솔직한 마음이었지만 오랜만에 내 가슴을 울컥하게 만들기엔 충분한 말이란 걸 알고 말하진 않았을 터.

　나는 너무 늦었다. 뒤처질 만큼 뒤처졌고 돌이킬 수 없을 만큼 후회할 수도 없었다. 다시 시작하기에 난 너무 먼 곳에 있었고 돌아가자니 이번만큼은 용기도 필요했다. 퇴근하고 돌아온 초라한 방안에선 그냥 이런 것도 행복인 걸 익숙해져 버린 채 살면 어떨까 하며 주저앉았다는 걸 나 말고는 모를 테지.

이렇게 꿈만 같은 영화 속 행복을 꿈꾸듯이 보며 나도 저렇게 살고 싶다고 울고 있어 봐야 도와주는 사람은커녕 토닥여주는 사람 하나 없다는 걸 정말 우리 엄마마저도 모르나 보다.

이럴 바엔 그냥 이게 내 한계라고 인정하는 게 편할지도 몰라.

말

말은
할수록 사실이 흐려지고
안 할수록 감정이 짙어진다.

어쩌다 보니

너의 과거를 잊으면 너에게 뿌리는 없는 거고
너의 미래를 못 본다면 너를 기다리는 시간도 없는 거지

소중한 기억이 과거의 아픔에 껴있을 텐데
그렇게 너는 과거를 지우고 부인한다면
너에게 남은 사람들은 얼마나 가벼운 거니

지금의 행복에 흠뻑 취해 바꿔 쓰는 미래는
미련 없는 너의 지금으로 쉽게 다시 날아가겠지

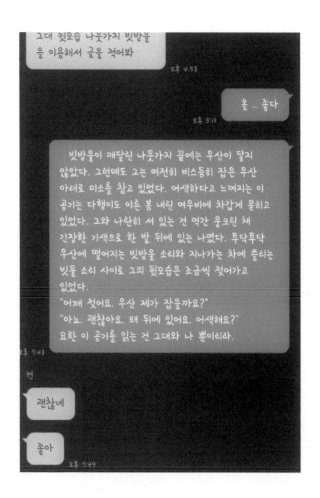

그대 뒷모습 나뭇가지 빗방울을 이용해서 글을 적어봐

오후 4:58

올 .. 좋다

오후 5:13

빗방울이 매달린 나뭇가지 끝에는 우산이 닿지 않았다. 그런데도 그는 여전히 비스듬히 잡은 우산 아래로 미소를 참고 있었다. 어색하다고 느껴지는 이 공기는 다행이도 이른 봄 내린 여우비에 차갑게 묻히고 있었다. 그와 나란히 서 있는 건 역간 움크린 채 긴장한 기색으로 한 발 뒤에 있는 나였다. 투닥투닥 우산에 떨어지는 빗방울 소리와 지나가는 차에 쓸리는 빗물 소리 사이로 그의 뒷모습은 조금씩 젖어가고 있었다.
"어깨 젖어요. 우산 제가 잡을까요?"
"아뇨. 괜찮아요. 왜 뒤에 있어요. 어색해요?"
묘한 이 공기를 읽는 건 그대와 나 뿐이리라.

오후 7:48

켠

괜찮네

좋아

오후 7:49

내가 널 놓아준 거라고
생각했다

생각해보니
네가 날 놓친 거였다

〈놓치다〉 전문

별

나는 어두울 때 유난히 빛난다.

같은 말

다시는 속하고 싶지 않은 곳에서 하는 말
어차피 못 믿는 당신한테 하는 말
한 번 더 나를 삼키고 가라앉힌 뒤 하는 말

당신들에게 들릴 억울한 거짓말

불일치

"세상은 참 모질어. 사람들은 말하잖아. 언제나 긍정적으로 생각하면서 살라고, 웃으면 복이 온다고. 너도, 나도 서로가 더 힘들다며 서로의 역경을 도토리 키 재듯 으스대다가도 한 명이라도 부정적이면 다들 휙 돌아서서는 으름장만 늘어대지. 긍정적으로 생각하라며, 네가 최선을 다하지 않아서 그런 거라고. 핑계 대지 말고 열심히 살라고. 그치만 힘든 걸 어떡해. 누가 깽판 친다는 것도 아니고 힘들어서 좀 쉬다가 가겠다는데 왜 그게 그렇게 훈계들을 일이란 말이야. 그거 언행 불일치 아니냐?"

말이 끝남과 동시에 그는 소주가 가득 따라져 있는 잔을 입안으로 털어 넘겼다. 마치 내뱉은 말이 시원한 안주라도 되는 듯했다.

소외

몇 번이고 다시 봐도 질리지 않는 만화를
여느 날처럼 시간을 보내며 보다가
잠깐 지루한 내용이 나오는 틈을 타고
머릿속으로 우울한 노래가 밀려들었다.
정확히 말하자면 그건 슬픔 노래이지만
가사가 나를 예로 드는 것 같아서
한때 골백번을 반복하며 들은 게 문제려니.
시도 때도 없이 머리 안에 틀어지는 그 노래로
난 시도 때도 없이 이별을 이겨내야 했다.
그렇게 나는 현실 공간에서
수도 없이 스스로를 소외시키는 것 같았다.

허비하다

그는 침묵을 즐겼고
쓰디쓴 진실이 달콤한 사탕마냥 입안에 굴러다녔다.

그녀는 고된 나날을 즐겼고
달콤한 사랑마저 씁쓸한 상처처럼 곪기를 반복했다.

그에게 필요했던 건 관심이었는지
닿지 않으면 절대 보이지 않았으며,
그녀가 원했던 건 기댈 곳이었는지
말하지 않으면 절대 약하지 않았다.

미친 척하고 찾아가려 해도 이미 늦었다 하고
거짓말로 고백해보려 해도 이미 식었다 하니

공기 중에 만연한 사실들이 그들을 억눌렀다.
그렇게 그들의 소중한 하루를 또 허비했다.

인상

인생을 살면서
누군가를 만나는 것에 대한 마음 씀씀이도
갈수록 가격이 인상되는 듯하다

갈수록 쉽게 마음이 가질 않으니

냉장고

모름지기 사람은 다른 사람에게 상처를 주는 존재인 듯하다.

오늘 있었던 그 모든 힘든 일을 묻어두고 엄마가 며칠을 노래 부른 세제도 살 겸 열심히 장을 봐왔는데 유난히 늦더라. 할인이라고 적힌 닭강정을 적당히 먹고 남겨두었는데 아무리 기다려도 오질 않아서 자려고 누웠더니 삐비빅 하는 문소리. 냉장고에 치킨 있다고 하니 쏟아지는 엄마의 스트레스는 마저 남은 나의 생명력을 끄기엔 매우 충분했다.

깨달은 건, 이런 감정은 절대 아무에게도 나눠주기 싫다는 것. 적어도 나는 그러지 말아야지.

우는 것도 슬퍼하는 것도 굉장한 사치이자 놀림감이자 동정표는커녕 남에게 스트레스로만 다가갈 테니 나는 그럴 가치도 사치 부릴 여유도 없는 것이 확실하다.

오래전 일

오랜만에 집으로 올라가면
엄마는 우리 딸 왔냐며 방긋 웃는다.
엄마 눈엔 아직도 내가 다섯 살배기 어린 딸 같다며
끼니며 돈벌이까지 다 걱정한다.

툭하면 고집부리고 떼쓰던 딸은 오래전 일인데.
지금은 엄마 앞에서 울지도 못하는 다 늙은 딸인데.

빈자리

쉴 틈 없이 들으며 빈자리를 채우던 노래가
쉴 틈 없이 몰려와 마음을 비우질 못해

관심

항상 심하게 좋은 날은
비겁하게 억울해진다
운수 좋은 날이라 했던가
언제나 그랬듯
누군가에게 나는 관심사가 아니다
착각은 허름한 창을 깨트려
무리하게 햇살을 받는다
그건 매우 따갑고 또 무더웠다
제 발이 저려 도망치는 순간
심하게 좋은 그날은
내 생에 마지막으로 하고 싶다
허나 그것 또한 비겁한 처사라며
스스로를 비웃는 나를 봐도
누군가에게 나는 관심사가 아니다
계산은 빈틈 있는 벽을 올려
초라하게 훔쳐보는 스스로를
덮어버리라 잔인하게 다그친다
동정심도 바라지 못하는
그들에게 나는 관심사도 아니다

말없이

가끔
말없이 다른 곳을 보는 나를 두고
그는 물었다.
"무슨 생각해요?"
역시 말없이 그를 쳐다보는 나를 보고
미소를 띠며 그는 말했다.
"생각이 많은가 보네."
애써 할 말을 찾으려 흔들리는 내 눈을
똑바로 쳐다보고선 그는 물었다.
"지금 무슨 생각해요?"

내려진 시선 끝엔
거칠고 못생긴 내 손이 보였다.
"커피가 참 맛있네요."
할 수 있는 말이 없었다.

비 오는 날

비 오던 날이었어.

언제나처럼 늦은 아침을 걷고 있었어. 오늘따라 노래도 듣고 싶지 않았지. 내 어깨의 두 배는 되는 녹색 우산을 때리는 빗방울 소리를 귀에 담으며 청량한 바람을 헤쳐 걷고 있었어. 생각이 없어서 그랬는지 큰 우산 바깥으로 내 신발이 젖을까 걱정했는지 시선은 바닥에만 두었지.

신호등을 옆에 한 채로 비에 젖어 진해진 검은 아스팔트를 멍하니 쳐다보고 있었을 거야. 아마 유난히 기다리는 시간이 길었었나 봐. 내가 너무 천천히 걸었던 것 같아. 비 오는 날을 좋아하니까.

마지막으로 날 만나러 올 때 신었던 그 신발을 신고 지나가는 걸 봤어. 큰 우산 속에 가려진 내 표정도 분명 보이지 않았을 거야.

네가 아니었을 거라고 다짐하느라
정신없었거든.

울컥

나아질 거라는 낯선 이의 지나가는 한마디에 울컥

혼자 초라하게 앉아 서럽게 울어내면
그래도 나는 혼자라는 사실에
무뎌지는 내 울컥한 설움

간절함

니가 더 사랑한다는 거짓말
네 마음을 보여줄 수 없어 안타깝다는 거짓말
내가 널 안 믿어준다는 거짓말

둘 중 한 명 혹은 둘 다 하는 거짓말
아니면 둘 다 진심으로 믿어달라는 간절함

달

달이 집니다.
하루하루 해가 뜨고
구름이 드리우고
보랏빛 석양에 물들면

하나 둘 별이 빛나고
아직은 밝은 하늘에 보이는 어스름한 달이
이제야 나왔다는 듯 멀겋게 자리하더니

홀린 듯 다시 찾아
어둑해진 밤에 올려다보면
어디 있는지 찾을 수가 없습니다.

온전히 어두운 시간에는
분명 세상은 모두 당신에게서 빛나는데
아무리 찾아보아도
이제 올라선다던 당신은 없습니다.

해가 뜨면서 환해지는 세상 근처에
다시 당신이 멀겋게 자리합니다.

태연하고 묵묵한 당신의 자태에
여태 어디 가셨었는지 물을 순 없습니다.

당신의 그 태도는
아마도 제 탓이겠지요.
그저 언제나 그 자리에 있을 거라 생각한
가엾은 제 탓이겠지요.

그저 짐작만 합니다.
달이 집니다.

돌아서다

"…. 저는 그래서 이 일 하기 싫어요."

문득 내뱉어버린 말.
곱씹어보니 정말 그랬다. 보람이라곤 스스로 하는 합리화
뿐이었고, 일하는 나를 보는 사람들에게서는 머릿속 쓰레
기 같은 생각들이 눈에 훤했다.
그들이 보는 나는 그저 한낱 시키는 대로 적당히 일하는 아
무것도 모르는 멍청이라더라. 심지어 돈벌이만 생각하는
감정 없는 사람?

나는 인재이고 싶었다. 그게 그리 과분한가.

그래서 난 돌아섰다.

첫 줄

여기 앉을 거야
아무도 신경 안 쓰고 웃고 울게

10 PM

유리 조각
잠깐
거짓말
슬픔
조심
점점
잔인함
멀어지다
남은 시간
조급함
자랑
남아 있는 것
변화
별 헤는 밤

유리 조각

산산이 깨진 유리 조각들이
차디찬 아스팔트에 아무렇게나 쓰러져
하루가 지나고 계절이 바뀌어도
누구도 치울 생각하지 않은 채
해가 뜨면 밝은 밤이라 보이지 않고
비가 오면 떨어지는 빗방울이
그리 더 빛날 수 없으며
가는 길엔 아무리 내리깔아도
생각 하나 박히지 않더니
늦은 밤 추운 날 들어오는 이 길에
뭐가 그리 유별나다고 여태 그 자리에서
지금 내 눈에 띄어 별마냥 반짝거리고 있다

분명 널 그 자리에 깨버린 사람도 아팠으리라
치우려고 널 헤아리는 누군가도 다치리라
보기만 해도 가슴 저리게 아픈 나인데

잠깐

잠깐

넌 지금
너를 사랑하는 거야
날 사랑하는 게 아니라
사랑을 하는 널 사랑하는 거야

날 사랑한다면
이러진 못할 거야

거짓말

어느 드라마에서 나온 대사가 말하기를

"10년을 좋아했는데 하루아침에 접어지면 그게 거짓말이
죠."

그럼 둘 중 하나겠지.

여태 마음이 안 접어졌거나,
좋아했던 게 아니었거나.

슬픔

우울함에 묻혀 한껏 울적하기엔
지구 중심부터 당기는 이 육신의 존재감이
기대한 것보다 초라하게 묵직해서
뇌 속 한쪽으로 기가 막히게 쪼그라든 마음을
어느 한 곳에 담아 둘 수 없는 어두움에
기어코 눈을 뜨고는
거대한 이 몸뚱아리 별것 아닌 걸로 궁상이네
하고 생각 비우기에 애쓴다

슬퍼하기엔 너무 벅찬 이 육신은
그 순간만큼은 초라하기 그지없다

조심

너랑 사랑할 때에는
모든 게 조심스러웠는데

왜 지금 내가 살고 있는 이 세상은
모든 게 자연스럽고 빠르게 돌아가는지

내가 있는 곳이 어디이기에
너와 같이 한 그 시간이 망상 같은지

거짓말로 넌 그 자리에서 지워지고
현실의 차가운 바늘들은
여전히 나에게 꽂히며

어떠한 비극도 희극도 없을 것이라는
이 우스꽝스러운 세상은
감히 지옥이라 말하겠다

나를 자랑하던 너를 떠나
나 스스로 자랑스러울 수 없음은

어쩌면 그 누구도 다신
나를 자랑할 수 없을 것을 예견한 걸지도

사랑이 거짓이었다면
세상도 거짓이었고
나의 존재도 거짓이었으니
너의 존재는 과연 살아있었는지

지금의 나는 누구에게 살아있는 존재인지
살아있다면 난 왜 깨닫지 못하는지

과연 지금 이 세상이 지옥이라
난 아픈 것만 느끼는지

점점

이십대 이후로 세포 하나하나가 다 죽어간다더라. 그런데
도 기억을 다 안고 가는 건 고통도 다 지고 가라는 잔인한
진화의 형상인가.

잔인함

"그냥 그렇게 살아."

멀어지다

즐거움이 파도처럼 휩쓸려와
몇 번이고 거품으로 씻어낸다.

멀어지는 푸른 바닷물 사이로
하얗게 쓸려내려간 감정들은
거칠은 노란 모래를 더욱 잘고 곱게 갈아
빠져나간 물기와 함께 온기도 앗아간다.

그 위로 짠내 나는 시린 바람이
더욱 단단해지도록 두드린다.

반갑게 가까이 오던 넌
미련 없이 그렇게 멀어졌다.

남은 시간

남은 시간이
얼마인지는 모르겠지만
사가신다면
값싸게 팔겠어요

조급함

하루 일과를 완료해
유난히 지독했던 업무가
날 몇 번이고 피곤하게 했어

유독 이해 안 되는 생각들을
늘어놓던 사람들에 보통은
웃으며 끄덕이던 나였는데

오늘따라 좁은 맘
울컥울컥 다 토해내곤
멀리 보내기도 가까워지기도
그렇게 더 멀리 보내게
힘들어도 끝내서 웃으며
우리 같이 하자 해놓곤

또 멀리 보내고
그래 놓곤
혼자 만끽하는 외로움이

이렇게 추운 날 입김 불어
내가며 빨리 걷다가
문득 걸음을 늦추곤
뒤를 돌아보고 또 여기저기 봐도
내 안에 계신다던 그분마저 안 보이는
이 밤

지나가는 저 사람
혹시 날 봐줄지 몰라 멈추다가도
그렇게 여럿이 되어 지나가고
난 여기 이렇게 아무런 벤치에 앉아
될 대로 된 글을 적어

조만간
널 이해해주고 안아줄 사람이
뒤따라올 거야
그러다가도
그 자리에 덜컹 앉아버리고
울컥

자랑

자랑하고 싶었어

우리 행복하다고 자랑하고 싶었어
그래야 우리 예전의 행복했던 추억들이
그저 지나간 것만은 아닐 거라고
믿을 수 있을 것 같아서

넌 나 없이도 행복했고
세상은 날 바보라 말했고
난 가슴이 시큰거렸지

그땐 내가 제일 못났다 여겼는데
이제 와서 보니 난 그때가 제일 예뻤었어

난 그것도 모르고
연신 울었는데

남아 있는 것

떠나가는 게 많을수록
남아 있는 것에 집중할 수 있어서
편해진다는 걸
떠나가는 사람은 모른다.

잘 살고 있다.

죽지 못해 사는 게 아니라
죽을 이유가 없어서 살고 있다.

변화

죽은 것은
변하지 않는 게 아니라
변해도 상관없어지는 형태

별 헤는 밤

우울은 내 원동력
그들은 길의 장애물
가족은 자책 속 묵직한 책임
의미 없는 응답과 핑계 없다는 변명들
다들 입은 있고 귀가 없어
쉴 새 없는 잔치 속 벌거벗은 나
외로움도 선택일 텐데
나는 그게 좋아 손 놓기 싫으니
고요함 안 빠른 내 말과 눈이
더욱 널 놓지 않으려고 끌어안으며
열심히 달려 남들에게서 도망쳐

우울은 내 원동력
속을 비우고 겉을 긁어내
달보다 더 밝아질 때까지
어둠을 사랑하는 나는
너에게 빛이 날까.

자정

진공
도서관
동문서답
영원
눈물
꿈

진공

진공상태에서는 매개가 없어
아무것도 들리지 않는다고 했다.
그리고
아마 너를 보내고 난 후의 내 속은
매개가 없는 듯하다.
조용함으로 가득해
마치 아무런 일렁임도 없을 듯하니,
감정 한 방울 쥐어짜 낼 느낌도 남지 않아서
널 찾지도 않는다.

도서관

 언제였던가, 나 혼자 생각하기를 기억이라는 건 머릿속에 도서관처럼 각자의 선반이라 서랍 같은 곳에 정리된 채로, 주로 기억하는 것들은 손이 잘 닿는 가까운 곳에 있고 기억 잘 안 나는 것들은 손 닿지 않는 깊숙하거나 매우 높은 곳에 먼지 덮인 채 삐걱삐걱 쌓여있는 거라고.

 내 도서관은 얼마나 클지 모르겠다. 이 생각할 때만 해도 내 머릿속은 정리가 잘 되어있었을 텐데. 햇볕 잘 드는 꽤 넓고 정돈 잘 된 도서관이었는데 지금은 뿌연 먼지 자욱한 채 커튼 친 창문 사이로 밤하늘뿐, 보이지 않는 어두운 도서관이 돼버린 것 같다.

동문서답

할 말을 찾는 중
억지로 기우려 하지만
때론 침묵은 물음을 자아내어
고요함은 갈수록 답을 복잡하게 숨기고
그 속으로 진심은 꽁꽁 싸매져
할 말을 잃어버린 시간

이 순간의 난 내가 아니기에
파리한 냉정으로 날을 세워
더 단단하고 튼튼하게 벽을 세우고
영원의 나이고자 허름한 반복의 실로 깁는다

영원

조금씩 식어가는 감정 사이로
칼칼한 바람이 거칠게 분다.
쉴 곳 없는 마음으로 붕 뜬 영혼이
따뜻하게 불어오는 너의 말로 조각난다.

영원이라는 건 존재하지 않는다는데
아마도 난 영원히 떠돌 것만 같다.

눈물

받은 고통과 슬픔에 비해
고작 할 수 있는 게 눈물 흘리는 일뿐이라
살아있다는 게 그리 괴로울 수 없다

꿈

예쁜 꿈 꿔
꿈에선 행복해

새벽

새벽까지

끌림

낡은

흩어지다

우울

구석

하지 못한 말

새벽까지

생각했다

생각할수록 흐려지는 건 내 안의 본질
생각할수록 뚜렷해지는 건 네가 준 가시

하나둘 별이 오르고 구름이 지나가고
흐릿한 안개가 시원한 공기를 불러오는
생각을 비우려 잠이 든
남들은 모르는 공간에서

생각했다

생각할수록 뚜렷해지는 건 차가운 다짐
생각할수록 흐려지는 건 찰나에 데인 가슴

별을 묻으려고 뜨는 해가
나에게 물었다
새벽까지 넌
생각해봐야 혼자라고
여태 편히 쉬지 않고 뭐했느냐고

끌림

울고 싶지 않았다

고작 가느다란 가시 같은 널
납덩이 같은 심장에 박아둔 채
한참을 찾지 않고
가끔씩 꺼내 보곤 했는데

당연하다는 듯이 끌린 너에게
무심코 차가워진 난
이상하게 굴고 있는 나를 발견하니

납덩이도 가시에 긁을 수 있구나
덮어두고 보질 않았으니 이것도 꽤 아리다

낡은

너에게 난 낡은 편지였겠지
읽으면 편해지고 그때의 기분에 설레다가도
답하지 못한 아쉬움이 그리 크지 않는

너에게 난 낡은 편지였겠지
언제든 같은 말만 해주는
네 기억에 맴돌기만 하며 조용히 사라진

너에게 난 낡은 글이었겠지

흩어지다

갑자기 내 꿈에 찾아와
내 일상을 흩트려놓는 넌
흩어진 기억의 잔상 너머로
지독한 독감처럼 앓게 만들어

우울

내색하지 못하는 우울함이
정리 안 되는 복잡한 생각들을
밀치고 밀려와선
무서운 속도로 나를 탐식한다

이름 붙이지 않은 눈물들이
갑자기 생각의 고랑에 모여
넘쳐흐르려고 아우성이다

옅은 파란빛의 행복을 뚫고
진한 남색의 침묵이 무겁게 흐른다

나갈 곳이 있었다면
그리 무겁지도 않았겠지만
흘러들어온 길도 모르니

그저 고이기만 할 뿐
차오르는 어두운 기색은
무거운 온도로 나를 탐식한다

구석

찬바람이 날카롭게 휘몰아치는 소용돌이는
사라질 기세 없이 조용히
컴컴한 마음 한구석에 자리 잡아
빗방울 한 톨 날리지 않은 채
쉬지 않고 돌다가
불빛으로부터 먼 이곳
누추한 방에 앉아 한숨 쉬면
금방이라도 장대비 쏟을 듯이
가슴 저리게 커져서는
내 머리 위를 감싸고
이 세상 떠나간다며 소리치네

제발 죽여달라고
제발 살려달라고
제발 사랑해달라고.

하지 못한 말

너를 아프게 할 내 말을 묻고 이 밤 조용한 가운데
가만히 참고 있으면 언젠간 너를 아프게 할 내 마음도
묻을 수 있겠지?

아마 너를 보내고 난 후의
내 속은 매개가 없는 듯하다.
조용함으로 가득해
마치 아무런 일렁임도
없을 듯하니,
감정 한 방울 쥐어짜 낼 느낌도
남지 않아서 널 찾지도 않는다.

〈진공〉中

달이 집니다

우울은 나의 원동력 : 밤

2023년 09월 26일 초판 01쇄 발행

지은이 : 김인현
펴낸이 : 김인현
편집인 : 정국화

이메일 : gine9729@naver.com

가격 : 11,500 원